BLED

**Méthode
de lecture**

Mme Claude Couque

hachette

Quelques conseils de l'auteur

1. Ne commencer l'apprentissage de la lecture que si l'enfant est prêt, c'est-à-dire s'il cherche à reconnaître les lettres, manifeste une envie de lire, ou même se vante de savoir lire. **Apprendre à lire n'est pas un simple divertissement pour l'enfant, c'est un engagement.**

2. L'apprentissage de la lecture chez l'enfant doit être une **activité régulière**. Ainsi se développe en douceur la notion de *régularité dans l'effort*, celui-ci ayant pour effet d'augmenter petit à petit son endurance intellectuelle.

3. Les séances de lecture ne doivent jamais fatiguer l'enfant. Interrompre la séance au moindre signe de fatigue : **apprendre à lire doit rester un plaisir.** La durée moyenne d'une séance est de dix à trente minutes selon les enfants. La séance peut être prolongée si l'enfant le désire.

4. **Étudier les leçons dans l'ordre**, car la méthode est progressive : chaque mot lu sera toujours composé des seules lettres déjà apprises. La progression **lettre → son → mot → phrase** reproduit le schéma logique de toute construction : la pierre, le mur, les murs, la maison. Chaque leçon du manuel est un apprentissage unique et simple : une seule acquisition à la fois.

5. Quelques conseils pour **le déroulement de chaque leçon** :
   - Faire repérer dans le dessin les mots où l'on retrouve le son étudié. Il ne s'agit pas d'être exhaustif mais plutôt de partager un moment agréable ! Si l'enfant trouve deux ou trois mots, c'est déjà très bien !
   - Faire repasser la grande lettre avec le doigt. Cette activité a pour objectif de fixer la graphie de la lettre dans l'espace. Certaines lettres sont plus « difficiles » que d'autres. Un **b** et un **d** ou un **p** et un **q** sont facilement confondus, d'où la nécessité de les dessiner avec le doigt.
   - Lors de la lecture des lettres, bien prononcer le « bruit » des lettres. Par exemple pour la lettre **r**, prononcer « rrrr », pour la lettre **y** prononcer « i ».
   - Enfin, la lecture des mots sera à faire par l'adulte dans les premières séances. Demander dans un deuxième temps à l'enfant de les lire. Continuer de cette manière jusqu'au moment où l'enfant sera autonome. Ne jamais brusquer l'enfant car la synthèse d'un mot à partir de deux sons simples doit se faire naturellement, au rythme de l'enfant.

Avec tous mes vœux de réussite dans l'art et le bonheur d'élever un enfant.

Mme Claude Couque

Maquette de couverture : Mélissa Chalot
Maquette intérieure : Sylvie Fécamp
Édition : Laurence Lesbre

Illustrations : Sylvie Rainaud
Mise en pages : Typo-Virgule

www.hachette-education.com

ISBN : 978-2-01-170057-5

hachette s'engage pour l'environnement en réduisant l'empreinte carbone de ses livres. Celle de cet exemplaire est de : 850 g éq. CO₂ Rendez-vous sur www.hachette-durable.fr

PAPIER À BASE DE FIBRES CERTIFIÉES

Sommaire

Les voyelles

Les sons simples

Les sons complexes

Les voyelles

Apprentissage du O o *o*

1 Cherche dans le dessin les mots où tu entends **O**.

Les mots à trouver sont : moto, vélo, domino, sac à dos, otarie, noix de coco, chocolat, orange.

2 Prononce **O** en arrondissant bien les lèvres.

3 Suis la grande lettre **O** avec ton doigt.

Faire suivre la lettre o de la page de droite avec le doigt : suivre le rond dans le sens inverse des aiguilles d'une montre.

4 À toi de lire.

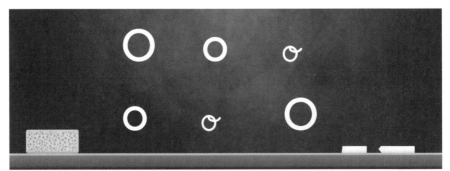

Apprentissage du I i *i*

1 **Cherche dans le dessin les mots où tu entends i.**

Les mots à trouver sont : île, livre, tigre, papillon, pirate, citron, fille, tipi, nid, iguane.

2 **Prononce i en tirant bien les lèvres sur les côtés.**

3 **Suis la grande lettre i avec ton doigt.**

Faire suivre la grande lettre i de la page de droite avec le doigt : de haut en bas.

4 **À toi de lire.**

Apprentissage du A a a ɑ

Ah, ah, ah !

1 Cherche dans le dessin les mots où tu entends **a**.

Les mots à trouver sont : abeille, ananas, avocat, abricot, accordéon, arc-en-ciel, arbre, âne.

2 Prononce **a** en ouvrant largement la bouche.

3 Suis la grande lettre **a** avec ton doigt.

Faire suivre la grande lettre a de la page de droite avec le doigt : suivre le rond dans le sens inverse des aiguilles d'une montre, puis suivre le trait de haut en bas.

4 À toi de lire.

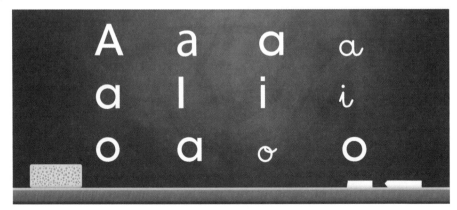

Apprentissage du U u u

1 Cherche dans le dessin les mots où tu entends **U**.

Les mots à trouver sont : tortue, pull, plume, ruche, flûte, usine, nuage, jus, bulle, lune.

2 Prononce **U** comme pour faire avancer un cheval (*hue !*).

3 Suis la grande lettre **U** avec ton doigt.

Faire suivre la grande lettre u de la page de droite avec le doigt : de gauche à droite.

4 À toi de lire.

U u u

Apprentissage du E e *e*

1 Cherche dans le dessin les mots où tu entends **e**.

Les mots à trouver sont : œuf, pelote, chenille, cerise, renard.

2 Prononce **e** comme quand on dit *euh…*

3 Suis la grande lettre **e** avec ton doigt.

Faire suivre la grande lettre e de la page de droite avec le doigt : en partant du milieu.

4 À toi de lire.

Apprentissage du Y y *y*

1 Cherche dans le dessin les mots où tu entends **y** (prononcer i).
Les mots à trouver sont : caddy, pyjama, ballon de rugby, baby-foot.

2 Prononce **y** comme **i** en tirant bien les lèvres sur les côtés.

3 Suis la grande lettre **y** avec ton doigt.
Faire suivre la grande lettre y de la page de droite avec le doigt : de gauche à droite et de haut en bas.

4 À toi de lire. *Attention la lettre y se lit « i ».*

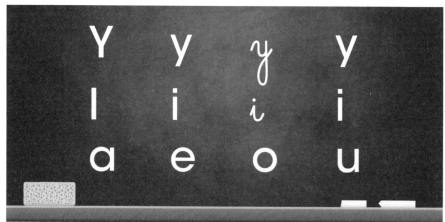

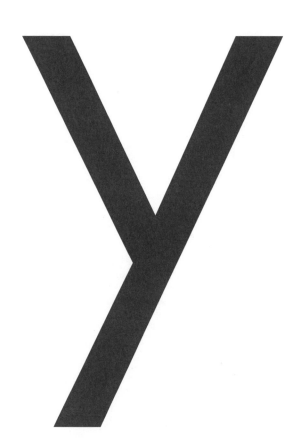

Les voyelles

1 Lis les lettres dans l'ordre.

A   E   I   O   U   Y

a   e   i   o   u   y

a   e   i   o   u   y

2 Lis les lettres dans l'ordre.

E   O   A   Y   U   I

u   a   e   i   y   o

y   o   a   u   e   i

Les sons simples

Apprentissage du P p ρ

1 **Cherche dans le dessin les mots où tu entends p.**

Les mots à trouver sont : pirate, pipe, papa, perroquet, poule, poussin, papillon, épée, pantalon.

2 **Prononce p comme dans papa.**

3 **Suis la grande lettre p avec ton doigt.**

Faire suivre la lettre p de la page de droite avec le doigt : de haut en bas pour la barre, dans le sens des aiguilles d'une montre pour l'arrondi.

4 **À toi de lire.**

a   p   i   o   u   e   p

E   P   U   I   A   P   O

ρ   a   o   u   e   ρ   i

p

5 Lis et suis avec ton doigt.

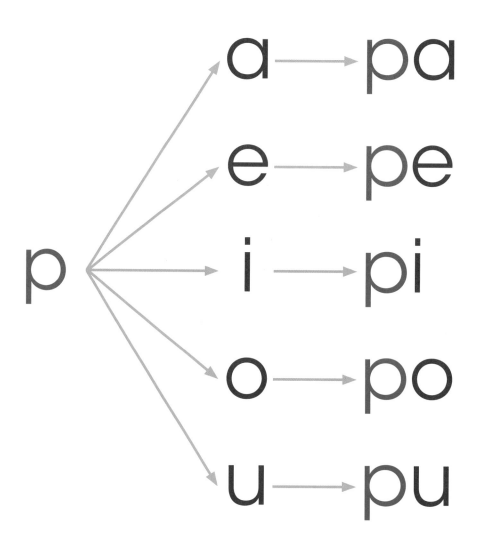

6 Lis les syllabes dans l'ordre, puis dans le désordre.

pa pe pi po pu py

po pi pe pu py pa

7 Lis les syllabes en attaché.

pa pe pi po pu py

pé pu pa py pê pi

8 Lis les mots au tableau.

pa pa	pa pa
pa pi	pa pi
pi pe	pi pe
pi pi	pi pi
pa pe	pa pe

Apprentissage du L l *l*

1 **Cherche dans le dessin les mots où tu entends l.**

Les mots à trouver sont : libellule, lunettes, lapin, livre, lit, lampe, lune, lutin, lion, ballon, fil.

2 **Prononce l comme dans lilas.**

Faire remarquer que la langue touche l'arrière des dents du haut.

3 **Suis la grande lettre l avec ton doigt.**

Faire suivre la grande lettre l de la page de droite avec le doigt : de haut en bas.

4 **À toi de lire.**

a   l   i   l   i   e

U   Y   A   L   E   P

l   p   e   i   o   u

I

5 Lis et suis avec ton doigt.

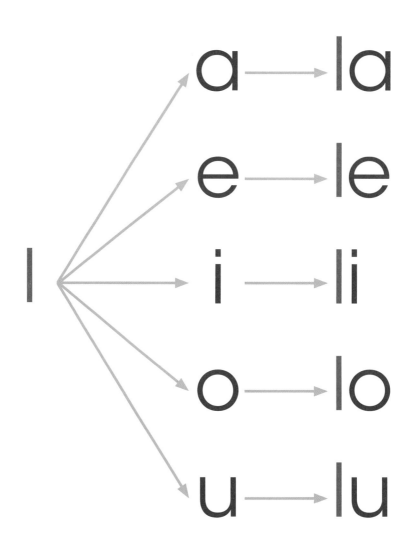

6 Lis les syllabes dans l'ordre, puis dans le désordre.

la   le   li   lo   lu   ly
le   la   lu   li   ly   lo

7 Lis les syllabes en attaché.

la   le   li   lo   lu   ly
le   la   ly   li   lu   lo

8 Lis les mots au tableau.

la pi le   la pi le

la pi pe   la pi pe

le po lo   le po lo

la pi lu le   la pi lu le

Apprentissage du T t *t*

1 **Cherche dans le dessin les mots où tu entends t.**

Les mots à trouver sont : tortue, tomate, carotte, tulipe, téléphone, table, tambourin, tapis, tabouret, chaussette, natte, casquette, bottes.

2 **Prononce t comme dans tata.**

3 **Suis la grande lettre t avec ton doigt.**

Faire suivre la grande lettre t de la page de droite avec le doigt : de haut en bas puis de gauche à droite.

4 **À toi de lire.**

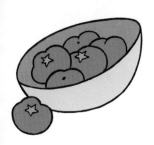

5 Lis et suis avec ton doigt.

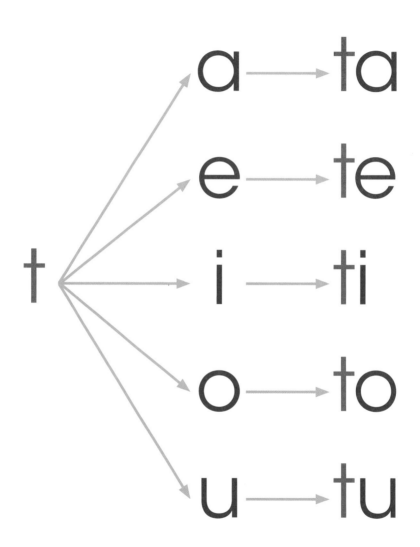

6 Lis les syllabes dans l'ordre, puis dans le désordre.

ta te ti to tu ty

tu ti to te ty ta

7 Lis les syllabes en attaché.

ta te ti to tu ty

to ti ty te tu ta

8 Lis les mots au tableau.

le ti pi

le tu tu

la tu li pe

le pi lo te

la pa ta te

le ti pi

le tu tu

la tu li pe

le pi lo te

la pa ta te

Apprentissage du **R r**

1 **Cherche dans le dessin les mots où tu entends r.**

Les mots à trouver sont : roi, reine, robe, rivière, robot, voiture, roue, radis,
arbre, renard, couronne, ceinture.

2 **Prononce r comme dans rigolo.**

Faire remarquer que le r racle la gorge.

3 **Suis la grande lettre r avec ton doigt.**

Faire suivre la grande lettre r de la page de droite avec le doigt : de haut en bas
puis de gauche à droite.

4 **À toi de lire.**

p   l   t   l   r   p

O   P   R   L   U   I

r   t   l   p   r   a

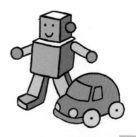

5 Lis et suis avec ton doigt.

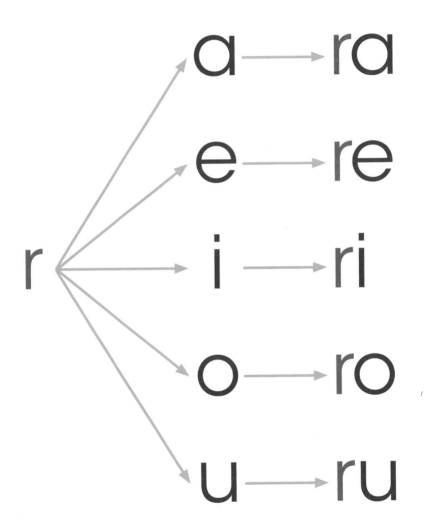

Lis les syllabes dans l'ordre, puis dans le désordre.

ra re ri ro ru ry

re ry ro ri ru ra

Lis les syllabes en attaché.

ra   re   ri   ro   ru   ry

ru   ri   ro   ri   ra   re

Lis les mots au tableau.

li re	*li re*
ri re	*ri re*
rô ti	*rô ti*
pi ra te	*pi ra te*
ti re li re	*ti re li re*

Apprentissage du S s ∫

1 **Cherche dans le dessin les mots où tu entends S.**

Les mots à trouver sont : serpent, princesse, sapin, hérisson, ours, casserole, assiette, chaussure, sucette, sucre, soleil.

2 **Prononce S comme dans serpent.**

3 **Suis la grande lettre S avec ton doigt.**

Faire suivre la grande lettre s de la page de droite avec le doigt : de haut en bas.

4 **À toi de lire.**

s   t   r   p   l   t

R   P   L   S   R   S

r   *∫*   *l*   *∫*   *t*   *p*

S

5 Lis et suis avec ton doigt.

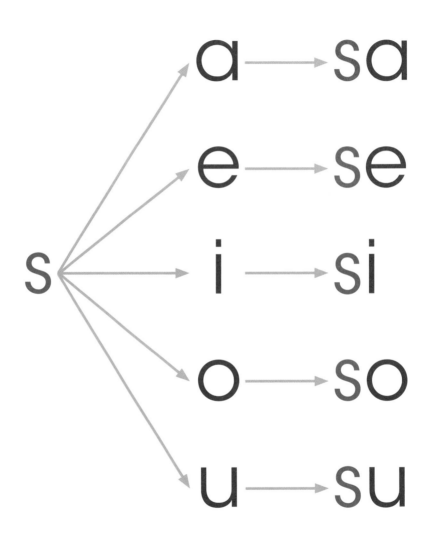

Lis les syllabes dans l'ordre, puis dans le désordre.

sa se si so su sy

se so si su sy sa

Lis les syllabes en attaché.

sa se si so su sy

sy so sa su se si

Lis les mots au tableau.

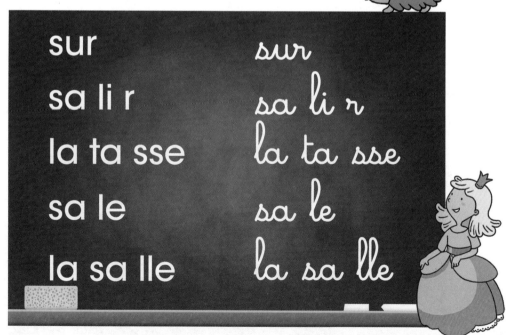

sur

sa li r

la ta sse

sa le

la sa lle

sur

sa li r

la ta sse

sa le

la sa lle

Apprentissage du **é** é

1 **Cherche dans le dessin les mots où tu entends é.**

Les mots à trouver sont : éponge, épée, éléphant, écureuil, échelle, échec, étoile, cheminée, fumée, café.

2 **Prononce é comme dans étoile.**

3 **Lis les sons de la page de droite et suis avec le doigt.**

4 **À toi de lire.**

é té   é té

é pé   é pé

pé pé   pé pé

p —→ é —→ pé

l —→ é —→ lé

t —→ é —→ té

r —→ é —→ ré

s —→ é —→ sé

Apprentissage du è è ê ê

1 **Cherche dans le dessin les mots où tu entends le son (è).**

Les mots à trouver sont : Père Noël, Mère Noël, chèvre, règle, pêcheur, forêt, fenêtre, rivière, arête.

2 **Prononce è comme dans chèvre.**

3 **Lis les sons de la page de droite.**

4 **À toi de lire.**

tê te   tê te
pè re   pè re
a rê te   a rê te

è   ê

pè   pê

lè   lê

tè   tê

rè   rê

sè   sê

Apprentissage du **V v** ⱴ

1 **Cherche dans le dessin les mots où tu entends V.**

Les mots à trouver sont : volcan, lave, chevalier, cheval, valise, vélo, vache, savon, vampire.

2 **Prononce V comme dans vent.**

3 **Suis la grande lettre V avec ton doigt.**

Faire suivre la grande lettre v de la page de droite avec le doigt : de gauche à droite et de haut en bas.

4 **À toi de lire.**

s   é   r   v   è   p

V   P   L   V   R   S

ⱴ   ⱴ   é   ⱱ   ⱴ   è

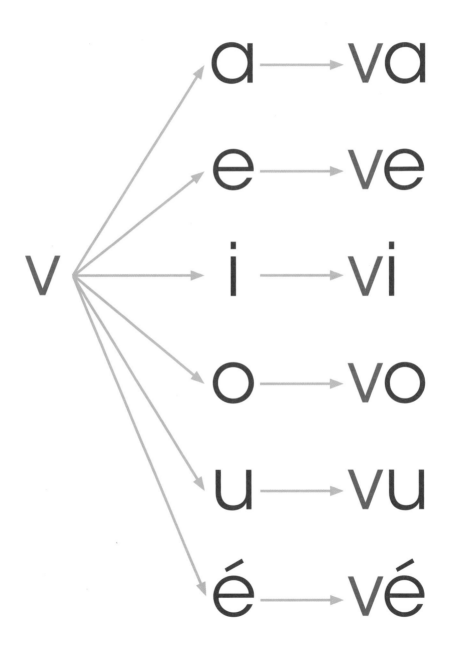

5 Lis et suis avec ton doigt.

a → va

e → ve

v

i → vi

o → vo

u → vu

é → vé

6 Lis les syllabes dans l'ordre, puis dans le désordre.

va ve vi vo vu vé
ve vo vi vu vé va

7 Lis les syllabes en attaché.

va   ve   vi   vo   vu   vé

vé   vo   va   vu   ve   vi

8 Lis les mots au tableau.

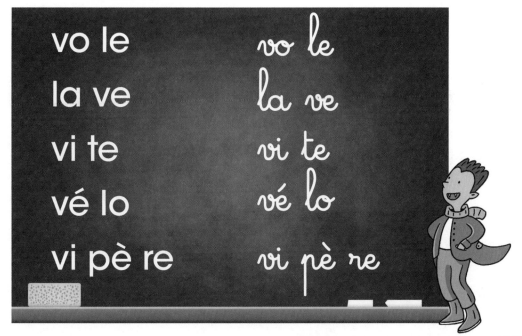

vo le	*vo le*
la ve	*la ve*
vi te	*vi te*
vé lo	*vé lo*
vi pè re	*vi pè re*

Apprentissage du **N n** 𝓃

1 Cherche dans le dessin les mots où tu entends **n.**

Les mots à trouver sont : nain, banane, bonnet, canapé, piano, nid, lune, nuage, niche, lune, noir.

2 Prononce **n** comme dans **nounou.**

3 Suis la grande lettre **n** avec ton doigt.

Faire suivre la grande lettre n de la page de droite avec le doigt : de haut en bas pour le trait puis l'arrondi de gauche à droite.

4 À toi de lire.

n   t   l   y   u   n

O   N   P   U   N   V

𝓃   𝓋   𝒾   𝓇   𝓃   𝓸

5 Lis et suis avec ton doigt.

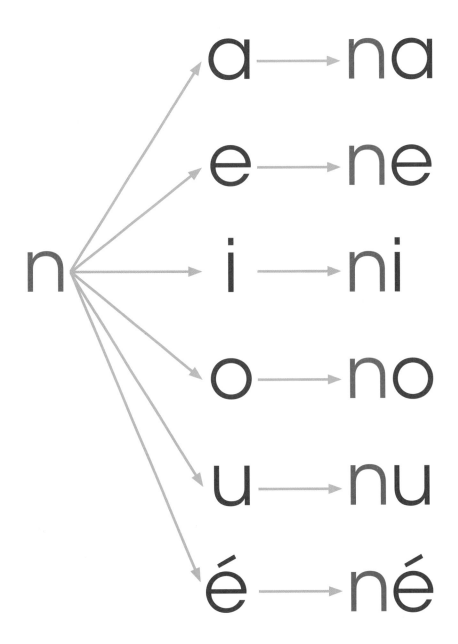

6 Lis les syllabes dans l'ordre, puis dans le désordre.

na ne ni no nu né
ne né ni na nu no

7 Lis les syllabes en attaché.

na   ne   ni   no   nu   né

ni   ne   no   nu   né   na

8 Lis les mots au tableau.

lu ne	*lu ne*
no te	*no te*
pi a no	*pi a no*
é pi ne	*é pi ne*
re ve nu	*re ve nu*

Apprentissage de **un une**

1 Cherche dans le dessin les mots où tu entends **un** et **une**.

Les mots à trouver sont : un pirate, une pirate, un garçon, une fille, brun, brune.

2 Prononce **un** comme dans **brun** et **une** comme dans **brune.**

3 À toi de lire.

4 Lis les mots suivants.

un   u ne

un pot   u ne tu li pe

un pi lo te   u ne ta pe

un pi ra te   u ne pi pe

Apprentissage de **et est**

1 Dis ce que tu vois sur le dessin.

2 Prononce **et** et **est**.

3 À toi de lire.

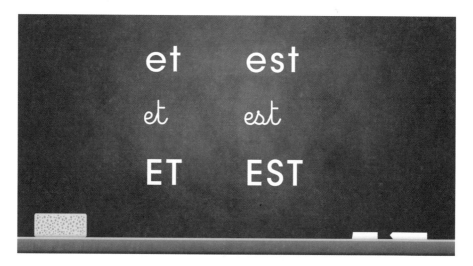

4 **Lis les mots suivants.**

et

le pi ra te   et   la pi pe

la tu li pe   et   le li las

est

le ta pis   est sa le

le vé lo   est pe tit

Apprentissage du **F f** *f*

1 **Cherche dans le dessin les mots où tu entends f.**

Les mots à trouver sont : feu, fumée, fourmi, fleur, moufle, fée, œuf, farine, fraise, fenêtre.

2 **Prononce f comme dans fée.**

3 **Suis la grande lettre f avec ton doigt.**

Faire suivre la grande lettre f de la page de droite avec le doigt : de haut en bas puis le trait de gauche à droite.

4 **À toi de lire.**

n   f   t   o   p   f

F   S   U   R   F   Y

f   *p*   *n*   *f*   *v*   *s*

F f

5 Lis et suis avec ton doigt.

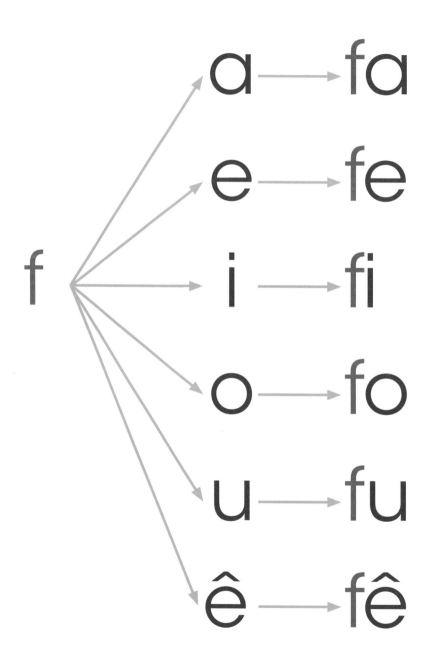

Lis les syllabes dans l'ordre puis dans le désordre.

fa   fe   fu   fo   fi   fê

fi   fo   fa   fe   fu   fê

Lis les syllabes en attaché.

fa   fe   fi   fo   fu   fê

fo   fu   fi   fe   fa   fê

Lis les mots au tableau.

fi ni   fi ni

fa né   fa né

fa ri ne   fa ri ne

Apprentissage du **M m** m

1 **Cherche dans le dessin les mots où tu entends m.**

Les mots à trouver sont : maman, mouche, marron, montagne, mouton, chemin, montre, fantôme, moustache.

2 **Prononce m comme dans maman.**

3 **Suis la grande lettre m avec ton doigt.**

Faire suivre la grande lettre m de la page de droite avec le doigt : bien insister sur les « deux ponts ».

4 **À toi de lire.**

f   m   o   p   u   m   p

M   R   V   M   S   E   O

t   m   n   y   a   m   i

5 Lis et suis avec ton doigt.

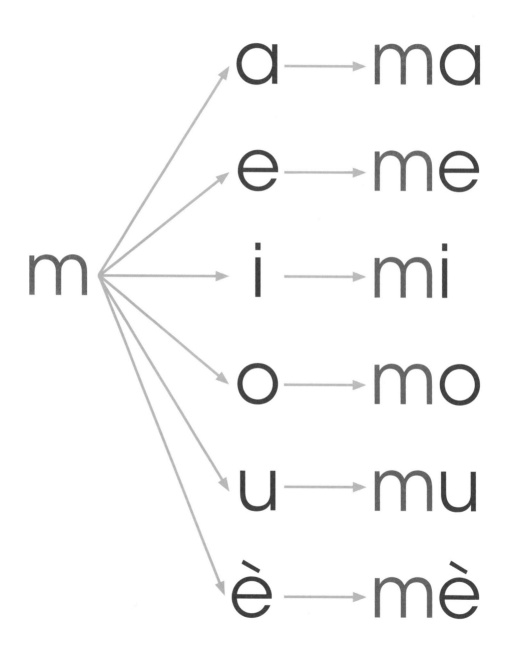

Lis les syllabes dans l'ordre, puis dans le désordre.

ma me mi mo mu
mi mo mu me ma

Lis les syllabes en attaché.

_ma   me   mi   mo   mu   mè_

_mi   mo   mè   mu   me   ma_

Lis les mots au tableau.

un a mi   _un a mi_

un mu r   _un mu r_

u ne mo to   _u ne mo to_

ma mie   _ma mie_

u ne to ma te   _u ne to ma te_

Apprentissage du **B b** ℓ

1 **Cherche dans le dessin les mots où tu entends b.**

Les mots à trouver sont : baleine, bateau, botte, berceau, ballon, biberon, bonbons, banane, bougie, boules, cube.

2 **Prononce b comme dans bébé.**

3 **Suis la grande lettre b avec ton doigt.**

Faire suivre la grande lettre b de la page de droite avec le doigt : de haut en bas, puis le rond.

4 **À toi de lire.**

r	b	p	t	b	l
B	I	O	E	S	B
m	ℓ	f	p	t	n

b

5 Lis et suis avec ton doigt.

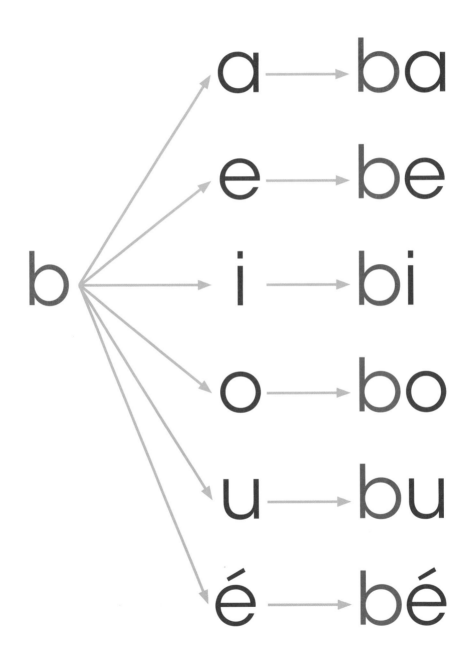

Lis les syllabes dans l'ordre, puis dans le désordre.

ba be bi bo bu bé
be bi bu bo bé ba

Lis les syllabes en attaché.

ba be bi bo bu bé
bé bi bu ba bo be

Lis les mots au tableau.

un bo a	un bo a
un bé bé	un bé bé
u ne ro be	u ne ro be
u ne ba na ne	u ne ba na ne

Apprentissage du **J** j *j*

1 **Cherche dans le dessin les mots où tu entends j.**
Les mots à trouver sont : judo, dojo, jongler, jeu, jaune, jardin, jumelles, jonquilles.

2 **Prononce j comme dans jouet.**

3 **Suis la grande lettre j avec ton doigt.**
Faire suivre la grande lettre j de la page de droite avec le doigt : de haut en bas.

4 **À toi de lire.**

u   j   i   a   o   j

J   S   U   L   J   Y

v   *j*   *f*   *j*   *r*   *i*

5 Lis et suis avec ton doigt.

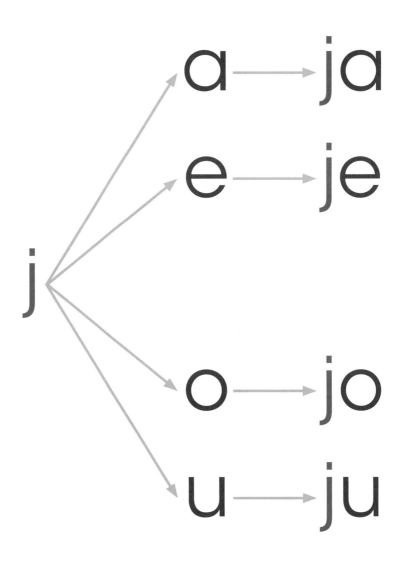

Lis les syllabes dans l'ordre, puis dans le désordre.

ja	je	jo	ju
je	ju	jo	ja

Lis les syllabes en attaché.

ja	je	jo	ju
jo	ju	ja	je

Lis les mots au tableau.

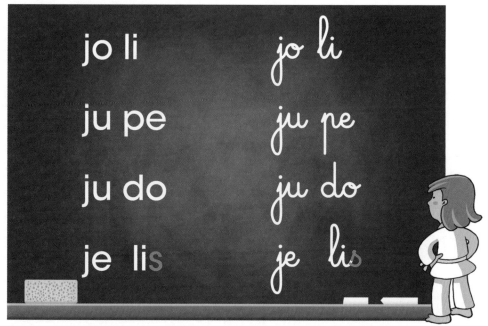

jo li   jo li

ju pe   ju pe

ju do   ju do

je lis   je lis

Apprentissage du **D d** d

1 **Cherche dans le dessin les mots où tu entends d.**

Les mots à trouver sont : dé, cadeau, dromadaire, salade, dalmatien, drapeau, dinosaure, dune, désert.

2 **Prononce d comme dans doudou.**

3 **Suis la grande lettre d avec ton doigt.**

Faire suivre la grande lettre d de la page de droite avec le doigt : de haut en bas, puis l'arrondi.

4 **À toi de lire.**

d   j   y   b   v   p

D   A   B   E   D   N

d   u   b   p   t   d

5 Lis et suis avec ton doigt.

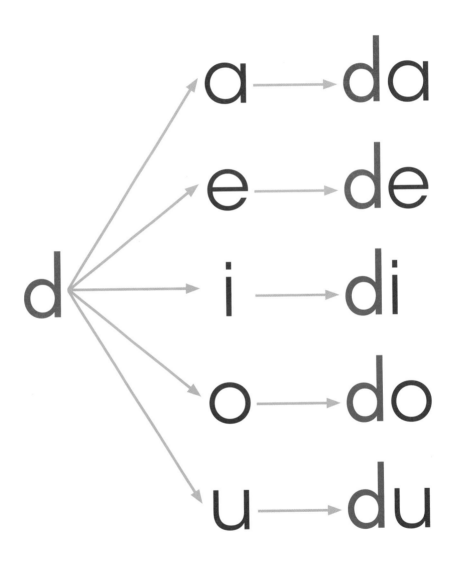

Lis les syllabes dans l'ordre, puis dans le désordre.

da   de   di   do   du

de   di   da   du   do

Lis les syllabes en attaché.

da   de   di   do   du

du   do   de   di   da

Lis les mots au tableau.

da me   da me

ra dis   ra dis

sa la de   sa la de

do mi no   do mi no

Apprentissage du **Z z** z

1 Cherche dans le dessin les mots où tu entends **Z**.

Les mots à trouver sont : zoo, gazelle, lézard, zèbre, zébu, quatorze, quinze, seize.

2 Prononce **Z** comme dans **Zorro**.

3 Suis la grande lettre **Z** avec ton doigt.

Faire suivre la grande lettre z de la page de droite avec le doigt : de gauche à droite.

4 À toi de lire.

Z

Les mots

Lis les mots dans l'ordre.

1 pa pa	**11** sa le	**21** fu me
2 pi pe	**12** sa li	**22** bé bé
3 pi lu le	**13** vo le	**23** ba na ne
4 pi le	**14** vé lo	**24** ro be
5 pa pi	**15** vi te	**25** jo li
6 pi lo te	**16** lu ne	**26** ju pe
7 tu li pe	**17** pu ni	**27** da me
8 pi ra te	**18** fi ni	**28** sa me di
9 ri re	**19** fa né	**29** ma la de
10 li re	**20** mo to	**30** mo de

Les phrases

Lis les phrases dans l'ordre.

1. Le pi ra te a u ne pi pe.

2. Le si rop a sa li le ta pis.

3. Le vé lo va vi te.

4. Le li las est fa né.

5. Pa pa a u ne mo to.

6. Tu as lu un mot.

7. Pa pa fu me la pi pe.

8. La ba na ne est mû re.

9. Ma rie a u ne jo lie ro be.

10. Ju lie a u ne jo lie ju pe.

11. La da me est à la mo de.

12. Le vé lo est ra pi de.

13. Ju lie est ma la de.

14. Je lis le sa me di.

15. La mo to va vi te.

Les sons complexes

Apprentissage du K k *k*

1. **Cherche dans le dessin les mots où tu entends k.**
   Les mots à trouver sont : kangourou, koala, kimono, anorak, kiwi.

2. **Prononce k comme dans kayak.**

3. **Lis et suis avec ton doigt sur la page de droite.**
   Faire lire les syllabes de la page de droite.

4. **À toi de lire.**

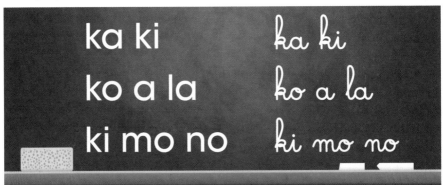

ka ki   *ka ki*

ko a la   *ko a la*

ki mo no   *ki mo no*

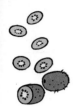

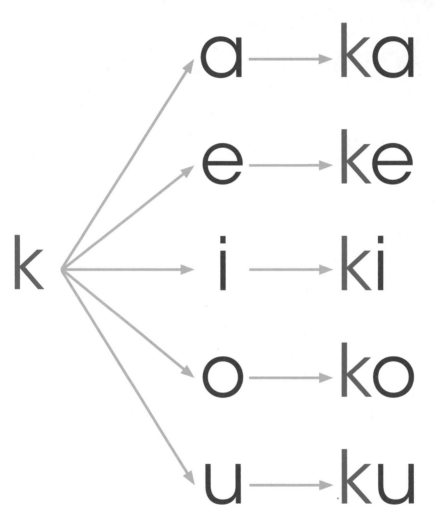

a → ka

e → ke

k i → ki

o → ko

u → ku

Apprentissage du son (k) : C c c

1 Cherche dans le dessin les mots où tu entends le son (k).

Les mots à trouver sont : casquette, cape, camion, carotte, coffre, canard, cube, corde à sauter, collier, cartable, cahier.

2 Prononce **C** comme dans **câlin.**

3 Suis la grande lettre **C** avec ton doigt.

Faire suivre la grande lettre c de la page de droite avec le doigt.

4 À toi de lire.

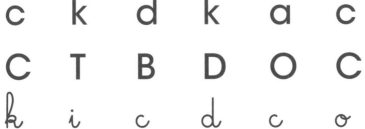

c   k   d   k   a   c

C   T   B   D   O   C

k   i   c   d   c   o

5 Lis et suis avec ton doigt.

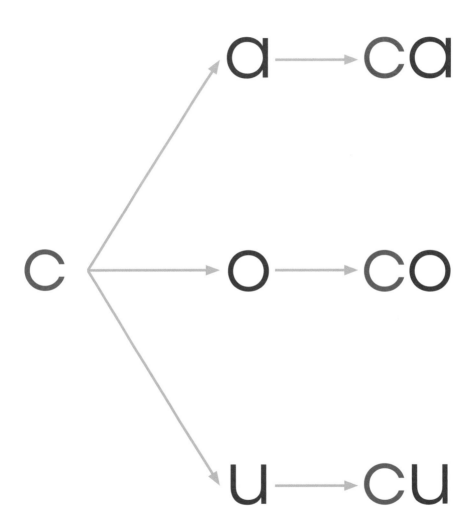

6 Lis les mots avec le son **ca**.

ca na pé   ca ca o   Ca ro li ne

7 Lis les mots avec le son **co**.

Ni co las   é co le   co lo nne

8 Lis les mots avec le son **cu**.

cu be   cu lo tte   re cu le

9 Lis les phrases avec les sons **ca**, **co**, **cu**.

Ni co las a bu du ca ca o.

Ni co las a sa li le cu be.

Ca ro li ne va à l'é co le.

Ca ro li ne a u ne jo lie ca pe.

Apprentissage du son (k) : **QU** qu *qu*

1 Cherche dans le dessin les mots où tu entends **qu**.

Les mots à trouver sont : quille, raquette, barque, casque, masque, flaque,
bouquet, quatre, brique.

2 Prononce **qu** comme dans **queue**.

3 Lis et suis avec ton doigt sur la page de droite.

Faire lire les syllabes de la page de droite.

4 À toi de lire.

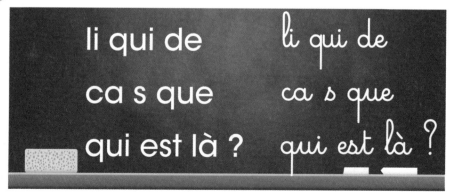

li qui de   *li qui de*

ca s que   *ca s que*

qui est là ?   *qui est là ?*

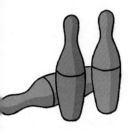

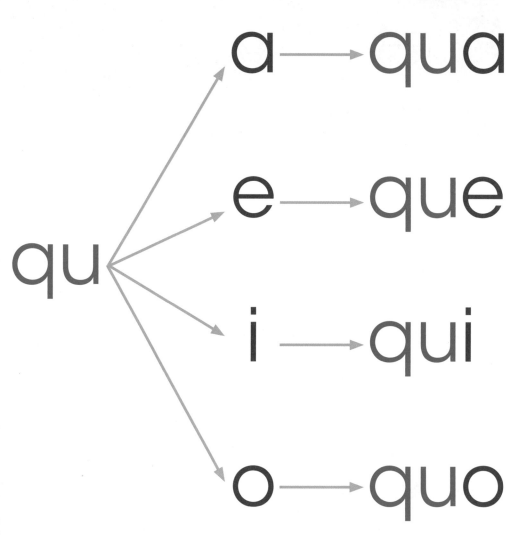

qu

a → qua

e → que

i → qui

o → quo

Apprentissage du son (s) : C c ͨ et Ç ç ͨ

1 Cherche dans le dessin les mots où tu entends **ç**.

Les mots à trouver sont : sorcière, cerise, saucisson, ciseaux, garçon, cible, balançoire, sucette, citron, citrouille, citron.

2 Prononce **ç** comme dans **ceci**.

3 Suis la grande lettre **ç** avec ton doigt.
Faire suivre la lettre ç de la page de droite avec le doigt.

4 À toi de lire.

c   s   k   q   p   ç

C   T   D   K   Q   S

k   i   c   d   ç   o

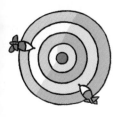

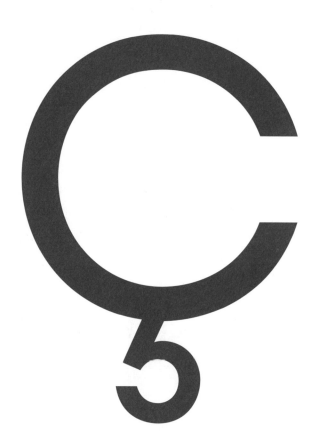

C c c
Ç ç ç

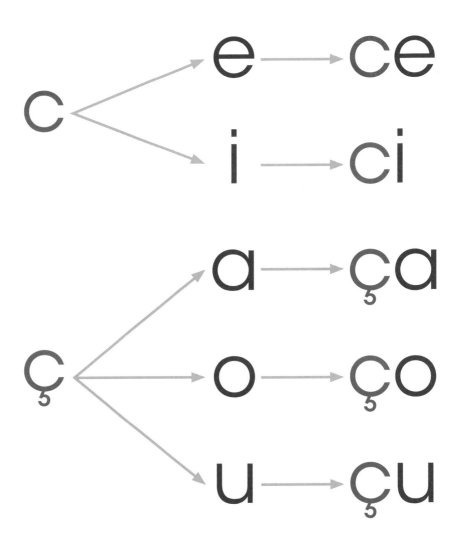

6 Lis les mots avec le son **ci**.

ci né ma   ci r que   fa ci le

7 Lis les mots avec le son **ce**.

ce ci   pu ce   li ma ce

8 Lis les mots avec le son **ce** le **ci**.

Lire c'est facile.

Ceci est une limace.

Ça, c'est une puce.

La police est là.

Cécile va au cinéma.

Apprentissage de : H h *h* et PH ph *ph*

1 Cherche dans le dessin les mots où tu entends **ph**.

Les mots à trouver sont : photographe, téléphone, pharmacie, phoque, éléphant, phare, saxophone.

2 Quand le **h** est seul en début de mot, on ne l'entend pas : haricot.

3 Lis et suis avec ton doigt sur la page de droite **ph = f**.

Faire lire les syllabes sur la page de droite.

4 À toi de lire.

hu tte   *hu tte*
ha ri cot   *ha ri cot*
pho que   *pho que*
pha r ma cie *pha r ma cie*

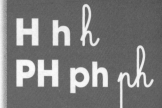
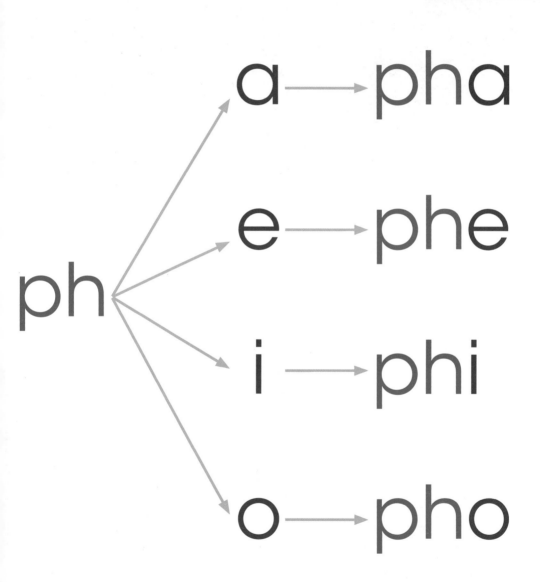

a → pha

e → phe

ph

i → phi

o → pho

Apprentissage du son (ch) : CH ch *ch*

1 Cherche dans le dessin les mots où tu entends le son **(ch)**.
Les mots à trouver sont : chocolat, autruche, chien, chat, vache, cheval, château, chenille, artichaut.

2 Prononce le **ch** comme dans **chat**.

3 Suis la grande lettre **ch** avec ton doigt.
Faire suivre ch de la page de droite avec le doigt.

4 À toi de lire.

m   n   h   ch   b

CH   T   H   P   H

d   *q*   *ch*   *l*   *s*

c h

5 Lis et suis avec ton doigt.

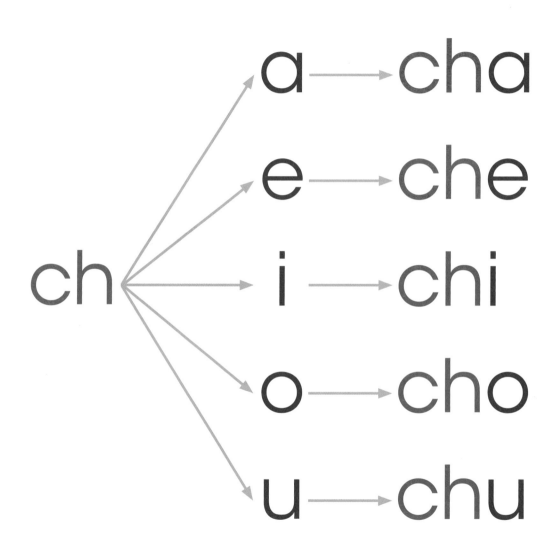

ch

a → cha

e → che

i → chi

o → cho

u → chu

6 Lis les mots avec le son **cha**.

chat   é cha r pe   cha que

cha sse   un cha r

7 Lis les mots avec le son **che**.

va che   che va l   ta che

ca che-ca che   che mi se

8 Lis les mots avec les sons **chi**, **cho**, **chu**.

chi pie   ma chi ne   chu t

pa ra chu te   cho co lat

9 Lis les phrases avec le son **ch**.

Nicolas a bu du chocolat.

Le petit chat se cache.

Caroline a vu une vache.

Julie chuchote : chut !

Apprentissage du son (gu) : G g g

1 Cherche dans le dessin les mots où tu entends **gu**.

Les mots à trouver sont : guêpe, gorille, guitare, gomme, gare, gâteau, galette.

2 Prononce **gu** comme dans **guitare**.

3 Suis la grande lettre **g** avec ton doigt.
Faire suivre g de la page de droite avec le doigt.

4 À toi de lire.

p	b	g	i	h	q
N	Q	G	R	S	G
g	l	j	p	h	q

G g g

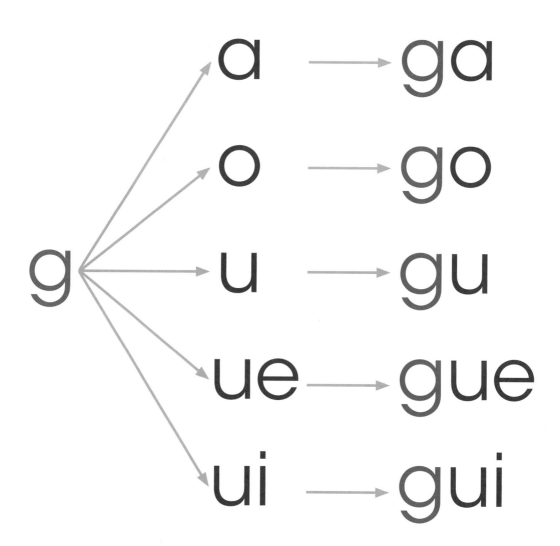

g

a → ga

o → go

u → gu

ue → gue

ui → gui

6 Lis les mots avec le son **ga**.

ga re   ba ga rre   ga r de rie

ma ga zi ne   ga lop

7 Lis les mots avec les sons **go** et **gu**.

go mme   ri go le   lé gu me

8 Lis les mots avec les sons **gue** et **gui**.

ba gue   gui ta re   gui de

guê pe   gué pard

9 Lis les phrases avec le son (**gu**).

Papa va à la gare.

Julie a une jolie bague.

Rémi a une guitare.

Nicolas a vu une guêpe.

Apprentissage du son (j) : G g g

1 Cherche dans le dessin les mots où tu entends le son (j).
Les mots à trouver sont : plage, gitane, gilet, rouge, orange, girafe, pigeon.

2 Prononce le son (j) comme dans **girafe**.

3 Suis la grande lettre **g** avec ton doigt.
Faire suivre g de la page de droite avec le doigt.

4 À toi de lire.

g   l   j   p   h   q

R   S   G   N   Q   G

p   g   i   h   q   b

G g g

5 Lis et suis avec ton doigt.

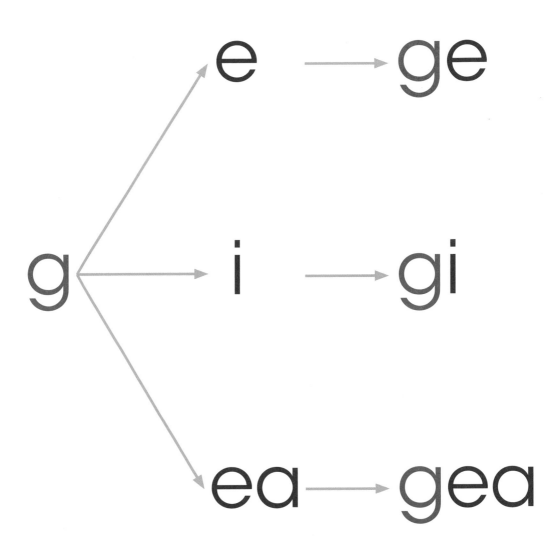

6 Lis les mots avec le son **ge**.

pa ge   na ge   ti ge   ga ra ge

7 Lis les mots avec le son **gi**.

gi ra fe   gi ta ne   é co lo gie

8 Lis les phrases avec le son (j).

Rémi nage vite.

Nicolas lit une page.

La gitane a une jupe.

Julie a vu une image
de la girafe.

La tulipe a une jolie tige.

Apprentissage du son (ou) : OU ou ou

1 Cherche dans le dessin les mots où tu entends **OU**.

Les mots à trouver sont : mouton, tour, poupée, mouche, hibou, loup, rouge, houx, boule.

2 Prononce le **OU** comme dans **loup**.

3 Suis **OU** avec ton doigt.

Faire suivre ou de la page de droite avec le doigt.

4 À toi de lire.

ou	ko	ca	ci	pha
GA	OU	GI	CO	OU
que	ce	cho	go	gi

5 Lis et suis avec ton doigt.

b ⟶ ou ⟶ bou
c ⟶ ou ⟶ cou
d ⟶ ou ⟶ dou
f ⟶ ou ⟶ fou
g ⟶ ou ⟶ gou
j ⟶ ou ⟶ jou
l ⟶ ou ⟶ lou
m ⟶ ou ⟶ mou
n ⟶ ou ⟶ nou
p ⟶ ou ⟶ pou
r ⟶ ou ⟶ rou
s ⟶ ou ⟶ sou
t ⟶ ou ⟶ tou
v ⟶ ou ⟶ vou
z ⟶ ou ⟶ zou
ch ⟶ ou ⟶ chou

6 Lis les mots avec le son **ou**.

hi bou   roux   doux

mou che   nous   vous

loup   joue   dou che

bou le   rou le   fou

7 Lis les phrases avec le son **ou**.

Minou est un petit chat roux.

Minou joue à la balle.

La boule roule sous le canapé.

Nicolas est sous la douche.

Apprentissage du son (oi) : Oi oi *oi*

1 Cherche dans le dessin les mots où tu entends **oi**.

Les mots à trouver sont : oie, arrosoir, roi, bois, petit pois, poireau, poire
noix, bois.

2 Prononce le **oi** comme dans **roi**.

3 Suis **oi** avec ton doigt.

Faire suivre oi de la page de droite avec le doigt.

4 À toi de lire.

oi	ou	ka	ci	pho
GI	QUE	OI	OU	CHI
oi	*ge*	*cha*	*cu*	*ou*

5 Lis et suis avec ton doigt.

b	⟶	oi	⟶	boi
c	⟶	oi	⟶	coi
d	⟶	oi	⟶	doi
f	⟶	oi	⟶	foi
g	⟶	oi	⟶	goi
j	⟶	oi	⟶	joi
l	⟶	oi	⟶	loi
m	⟶	oi	⟶	moi
n	⟶	oi	⟶	noi
p	⟶	oi	⟶	poi
r	⟶	oi	⟶	roi
s	⟶	oi	⟶	soi
t	⟶	oi	⟶	toi
v	⟶	oi	⟶	voi
ch	⟶	oi	⟶	choi

6 Lis les mots avec le son **oi**.

le mois   la loi   la noix

le bois   le roi   la joie

la voix   le doigt   le toit

une é toi le   noir   boi re

7 Lis les phrases avec le son **oi**.

Caroline boit
du chocolat noir.

– Oh hé ! dit le hibou,
je vois les étoiles.

– Ouh, ouh ! dit le loup,
c'est moi le roi du bois.

Apprentissage du son (on) : ON on *on*

1 Cherche dans le dessin les mots où tu entends **on**.

Les mots à trouver sont : dindon, caneton, maison, savon, éponge, Cendrillon, saucisson, jambon, violon, bonbon.

2 Prononce **on** comme dans **non**.

3 Suis **on** avec ton doigt.

Faire suivre on de la page de droite avec le doigt.

4 À toi de lire.

on   me   bi   oi   ou

VI   ON   OU   OI   SA

on   ba   ou   chu   oi

5 Lis et suis avec ton doigt.

b	→ on	→	bon
c	→ on	→	con
d	→ on	→	don
f	→ on	→	fon
g	→ on	→	gon
j	→ on	→	jon
l	→ on	→	lon
m	→ on	→	mon
n	→ on	→	non
p	→ on	→	pon
r	→ on	→	ron
s	→ on	→	son
t	→ on	→	ton
v	→ on	→	von
ch	→ on	→	chon

6 Lis les mots avec le son **on**.

bon bon	ba llon	sa von
me lon	long	non
pont	rond	bi be ron
a vi on	mou ton	bou chon

7 Lis le texte avec le son **on**.

Le héron a un long cou.

Le héron est sous le pont.

Le poisson nage.

Le héron pêche le poisson.

Apprentissage du son (an) : **AN an** *an*

1 Cherche dans le dessin les mots où tu entends **an**.

Les mots à trouver sont : ange, fantôme, maman, banc, orange, blanc, pelican, toucan, gant.

2 Prononce **an** comme dans **banc**.

3 Suis **an** avec ton doigt.

Faire suivre an de la page de droite avec le doigt.

4 À toi de lire.

an	on	ma	ru	oi
TA	**AN**	**OU**	**OI**	**CHE**
an	*na*	*ou*	*ba*	*on*

5 Lis et suis avec ton doigt.

b	an	ban
c	an	can
d	an	dan
f	an	fan
g	an	gan
j	an	jan
l	an	lan
m	an	man
n	an	nan
p	an	pan
r	an	ran
s	an	san
t	an	tan
v	an	van
ch	an	chan

6 Lis les mots avec le son **an**.

ma man	dans	ru ban
man che	pan ta lon	avant
chan son	banc	fan tô me
gant	gé ant	lan ce

7 Lis les phrases avec le son **an**.

Maman chante une chanson.

Rémi a vu un fantôme
sous le banc.

Le géant a mis son pantalon
et ses gants.

Apprentissage du son (an) : EN en *en*

1 Cherche dans le dessin les mots où tu entends **en**.

Les mots à trouver sont : dent, dentifrice, brosse à dent, enveloppe, argent, cent, enfant, pendule.

2 Prononce **en** comme dans **vent**.

3 Lis et suis avec ton doigt sur la page de droite.

Faire lire les syllabes de la page de droite.

4 À toi de lire.

dent	men ton	vent	en co re
cent	en fant	ten te	pa rent
len te ment		en ve lo ppe	

b	→ en →	ben
c	→ en →	cen
d	→ en →	den
f	→ en →	fen
g	→ en →	gen
j	→ en →	jen
l	→ en →	len
m	→ en →	men
n	→ en →	nen
p	→ en →	pen
r	→ en →	ren
s	→ en →	sen
t	→ en →	ten
v	→ en →	ven

Apprentissage du son (in) : IN in *in*

1 Cherche dans le dessin les mots où tu entends **in**.

Les mots à trouver sont : raisin, indien, patin, sapin, lutin, poussin, lapin, dauphin, moulin.

2 Prononce **in** comme dans **lutin**.

3 Suis **in** avec ton doigt.

Faire suivre in de la page de droite avec le doigt.

4 À toi de lire.

in	la	an	ni	ge
SON	IN	MOU	LU	EN
in	*pa*	*de*	*ni*	*on*

in

5 Lis et suis avec ton doigt.

b	→	in	→	bin
c	→	in	→	cin
d	→	in	→	din
f	→	in	→	fin
g	→	in	→	gin
j	→	in	→	jin
l	→	in	→	lin
m	→	in	→	min
n	→	in	→	nin
p	→	in	→	pin
r	→	in	→	rin
s	→	in	→	sin
t	→	in	→	tin
v	→	in	→	vin

6 Lis les mots avec le son **in**.

ma rin   ma tin   ma lin

la pin   pin son   din de

pé pin   lu tin   mou lin

pa tin   sin ge   cin q

7 Lis le texte avec le son **in**.

– Ohé petit marin c'est le matin !

Le vent malin pousse ta voile.

– Ohé petit lapin c'est le matin !

Le pinson chante sous le sapin.

129

Apprentissage du son (in) : **AIN ain** *ain*

1 Cherche dans le dessin les mots où tu entends **ain**.

Les mots à trouver sont : pain, nain, mexicain, bain, train, romain.

2 Prononce **ain** comme dans **pain**.

3 Lis et suis avec ton doigt sur la page de droite.

Faire lire les syllabes de la page de droite.

4 À toi de lire.

pain	bain	main
co pain	nain	te rrain
hu main	sou dain	ro main
a mé ri cain	châ tain	pou lain

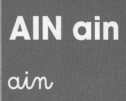

b ⟶ ain ⟶ bain

c ⟶ ain ⟶ cain

d ⟶ ain ⟶ dain

f ⟶ ain ⟶ fain

g ⟶ ain ⟶ gain

j ⟶ ain ⟶ jain

l ⟶ ain ⟶ lain

m ⟶ ain ⟶ main

n ⟶ ain ⟶ nain

p ⟶ ain ⟶ pain

r ⟶ ain ⟶ rain

s ⟶ ain ⟶ sain

t ⟶ ain ⟶ tain

v ⟶ ain ⟶ vain

Apprentissage du son (in) : **EIN ein** *ein*

1 Cherche dans le dessin les mots où tu entends **ein**.

Les mots à trouver sont : peinture, peintre, enceinte, ceinture, empreinte.

2 Prononce **ein** comme dans **peinture**.

3 Lis et suis avec ton doigt sur la page de droite.

Faire lire les syllabes de la page de droite.

4 À toi de lire.

é tein t	il pein t
en cein te	pein tu re
cein tu re	tein tu re

c → ein → cein

f → ein → fein

g → ein → gein

p → ein → pein

r → ein → rein

s → ein → sein

t → ein → tein

Apprentissage du son (o) : **AU au** *au*

1 Cherche dans le dessin les mots où tu entends **au**.

Les mots à trouver sont : crapaud, jaune, chaudron, taupe, esquimau, chaussette, auto, aubergine, artichaut, chaussure.

2 Prononce **au** comme dans **auto**.

3 Suis **au** avec ton doigt.

Faire suivre au de la page de droite avec le doigt.

4 À toi de lire.

au	to	in	ne	an
CHE	AU	NI	PH	EN

pe   on   en   ain   au

5 Lis et suis avec ton doigt.

b	au	bau
c	au	cau
d	au	dau
f	au	fau
g	au	gau
j	au	jau
l	au	lau
m	au	mau
n	au	nau
p	au	pau
r	au	rau
s	au	sau
t	au	tau
v	au	vau
ch	au	chau

6 Lis les mots avec le son **au**.

au to	jau ne	sau te
chaud	au ssi	fau te
tau pe	é pau le	faux
cau che mar	dau phin	là-haut
chau ssu re	des che vaux	

7 Lis les mots avec le son **au**.

Alain saute dans
une auto jaune.

Ce n'est pas de ma faute,
dit Nicolas.

La sauce du saumon
est chaude.

Apprentissage du son (o) : EAU eau eau

1 Cherche dans le dessin les mots où tu entends **eau**.

Les mots à trouver sont : chapeau, seau, eau, cadeau, chapiteau, drapeau, chameau, oiseau, tonneau, poireau.

2 Prononce **eau** comme dans **beau**.

3 Lis et suis avec ton doigt sur la page de droite.
Faire lire les syllabes de la page de droite.

4 À toi de lire.

beau	châ teau	gâ teau
ri deau	veau	peau
oi seau	ci seaux	eau
cha peau	ca deau	nou veau

b ⟶ eau ⟶ beau

c ⟶ eau ⟶ ceau

d ⟶ eau ⟶ deau

l ⟶ eau ⟶ leau

m ⟶ eau ⟶ meau

n ⟶ eau ⟶ neau

p ⟶ eau ⟶ peau

r ⟶ eau ⟶ reau

s ⟶ eau ⟶ seau

t ⟶ eau ⟶ teau

v ⟶ eau ⟶ veau

Apprentissage du son (è) : ET et *et*

1 Cherche dans le dessin les mots où tu entends **et**.

Les mots à trouver sont : jouet, poulet, chalet, volet, violet, bonnet, sifflet, muguet, perroquet, gilet.

2 Prononce **et** comme dans **jouet**.

3 Suis **et** avec ton doigt.

Faire suivre et de la page de droite avec le doigt.

4 À toi de lire.

et	to	te	pou	jou
VO	ET	FO	LA	BOU
cha	en	et	ga	au

et

5 Lis et suis avec ton doigt.

b	→ et →	bet
c	→ et →	cet
d	→ et →	det
f	→ et →	fet
g	→ et →	get
j	→ et →	jet
l	→ et →	let
m	→ et →	met
n	→ et →	net
p	→ et →	pet
r	→ et →	ret

6 Lis les mots avec le son **et**.

jou et	pou let	cha let
ga let	la cet	bu ffet
fo rêt	mu ret	vo let
fi let	gi let	ba llet
ta bou ret	go be let	bo nnet

7 Lis les mots avec le son **et**.

Rémi a mangé du poulet à midi.

Le petit Poucet a ramassé
des ga lets.

Il y a des jouets dans le chalet
de papa.

Apprentissage du son (è) : AI ai *ai*

1 Cherche dans le dessin les mots où tu entends **ai**.

Les mots à trouver sont : aigle, lait, fraise, raisin, aiguille, maison, chaise, laine, balai.

2 Prononce **ai** comme dans **balai.**

3 Suis **ai** avec ton doigt.

Faire suivre ai de la page de droite avec le doigt.

4 À toi de lire.

ai	et	en	se	eau
ET	AI	AU	EIN	AN
ai	*en*	*et*	*au*	*oi*

ai

5 Lis et suis avec ton doigt.

b ⟶ ai ⟶ bai

c ⟶ ai ⟶ cai

d ⟶ ai ⟶ dai

f ⟶ ai ⟶ fai

g ⟶ ai ⟶ gai

l ⟶ ai ⟶ lai

m ⟶ ai ⟶ mai

n ⟶ ai ⟶ nai

p ⟶ ai ⟶ pai

r ⟶ ai ⟶ rai

s ⟶ ai ⟶ sai

t ⟶ ai ⟶ tai

v ⟶ ai ⟶ vai

6 Lis les mots avec le son **ai**.

lait   ba lai   mais

paix   fai re   rai sin

mai son   chai se   lai ne

se mai ne   ai me   châ tai gne

7 Lis les mots avec le son **ai**.

Minou boit son lait à côté de Marie.

– Où est le balai ? demande papa.

Le balai est à côté de la chaise.

Maman a fait un beau gâteau.

Apprentissage du son (è) : El ei *ei*

1 Cherche dans le dessin les mots où tu entends **ei**.

Les mots à trouver sont : treize, peigne, réveil, reine, neige, baleine, soleil, bouteille, seize.

2 Prononce **ei** comme dans **neige**.

3 Lis et suis avec ton doigt sur la page de droite.

Faire lire les syllabes de la page de droite.

4 À toi de lire.

ba lei ne	rei ne	nei ge
pei ne	bei ge	pei gne
la Sei ne	vei ne	sei ze

b ⟶ ei ⟶ bei

c ⟶ ei ⟶ cei

d ⟶ ei ⟶ dei

l ⟶ ei ⟶ lei

m ⟶ ei ⟶ mei

n ⟶ ei ⟶ nei

p ⟶ ei ⟶ pei

r ⟶ ei ⟶ rei

s ⟶ ei ⟶ sei

t ⟶ ei ⟶ tei

v ⟶ ei ⟶ vei

Apprentissage du son (cs) : X x ∞

1 **Cherche dans le dessin les mots où tu entends X.**

Les mots à trouver sont : saxophone, boxe, taxi, xylophone.

2 **Prononce X comme dans taxi.**

Attention parfois le x ne se prononce pas à la fin de certains mots.

3 **Suis le X avec ton doigt.**

Faire suivre le x de la page de droite avec le doigt.

4 **À toi de lire.**

ta xi   bo xe   re lax

houx   paix   toux

Apprentissage du son (eu) : EU eu *eu*

1 Cherche dans le dessin les mots où tu entends **eu**.

Les mots à trouver sont : radiateur, bleu, deux, jeu, cheveux, pneu, pieuvre, pêcheur, ordinateur.

2 Prononce **eu** comme dans **bleu**.

3 Suis **eu** avec ton doigt.

Faire suivre eu de la page de droite avec le doigt.

4 À toi de lire.

eu   ei   au   ein   en

OI   EU   ON   PI   AN

ou   *en*   *eu*   *ain*   *on*

5 Lis et suis avec ton doigt.

b	eu	beu
c	eu	ceu
d	eu	deu
f	eu	feu
g	eu	geu
l	eu	leu
m	eu	meu
n	eu	neu
p	eu	peu
r	eu	reu
s	eu	seu
t	eu	teu
v	eu	veu

6 Lis les mots avec le son **eu**.

deux   a mou reux   ne veu

che veux   vo leu se   jeu

qu eue   dan ge reux   peu

pa re sseux   heu reux   feu

7 Lis les mots avec le son **eu**.

Nicolas a beaucoup de jeux.

Ne joue pas avec le feu
c'est dangereux.

Papa a deux neveux.

Mélanie se lave les cheveux.

Apprentissage du son (eur) : **EUR** eur *eur*

1 Cherche dans le dessin les mots où tu entends **eur**.
Les mots à trouver sont : beurre, chou-fleur, fleur, tracteur, pêcheur, aspirateur, chanteur, classeur, écouteurs.

2 Prononce **eur** comme dans **fleur**.

3 Lis et suis avec ton doigt sur la page de droite.
Faire lire les syllabes de la page de droite.

4 À toi de lire.

peur	beur re	heu re	na geur
as pi ra teur		fleur	é cou teur
chou-fleur		chan teur	pê cheur

b   ⟶   eur   ⟶   beur

c   ⟶   eur   ⟶   ceur

d   ⟶   eur   ⟶   deur

l   ⟶   eur   ⟶   leur

m   ⟶   eur   ⟶   meur

n   ⟶   eur   ⟶   neur

p   ⟶   eur   ⟶   peur

r   ⟶   eur   ⟶   reur

s   ⟶   eur   ⟶   seur

t   ⟶   eur   ⟶   teur

v   ⟶   eur   ⟶   veur

Apprentissage du son (ien) : **IEN** ien *ien*

1 Cherche dans le dessin les mots où tu entends **ien**.

Les mots à trouver sont : mécanicien, indien, chien, martien, musicien, magicien.

2 Prononce **ien** comme dans **chien**.

3 Suis **ien** avec ton doigt.

Faire suivre ien de la page de droite avec le doigt.

4 À toi de lire.

ien   eur   ai   ei   in

EAU   IEN   AU   AIN   EUR

ain   eau   ien   eur   in

ien

5 Lis et suis avec ton doigt.

b	→ ien →	bien
c	→ ien →	cien
d	→ ien →	dien
f	→ ien →	fien
g	→ ien →	gien
l	→ ien →	lien
m	→ ien →	mien
n	→ ien →	nien
p	→ ien →	pien
r	→ ien →	rien
s	→ ien →	sien
t	→ ien →	tien
v	→ ien →	vien

6 Lis les mots avec le son **ien**.

chien   ma gi cien   Ju lien

A drien   in dien   vient

tiens   rien   sien

bien   mé ca ni cien

7 Lis le texte avec le son **ein**.

Julien veut un chien,
mais papa ne veut pas.

Julien a un poisson.
Julien est un magicien.

Julien dit : « Poisson deviens chien ! »

Et Julien est heureux,
il a un poisson-chien.

Apprentissage du son (ail) : **AIL** ail *ail*

1 Cherche dans le dessin les mots où tu entends **ail**.

Les mots à trouver sont : portail, caillou, paille, épouvantail, ail, médaille, éventail, vitrail, gouvernail.

2 Prononce **ail** comme dans **médaille**.

3 Suis **ail** avec ton doigt.

Faire suivre ail de la page de droite avec le doigt.

4 À toi de lire.

ail   ien   eur   ei   ai

ET   EAU   AIL   IEN   AIN

on   *ail*   *au*   *ai*   *oi*

5 Lis et suis avec ton doigt.

b	⟶	ail	⟶	bail
c	⟶	ail	⟶	cail
d	⟶	ail	⟶	dail
f	⟶	ail	⟶	fail
g	⟶	ail	⟶	gail
l	⟶	ail	⟶	lail
m	⟶	ail	⟶	mail
n	⟶	ail	⟶	nail
p	⟶	ail	⟶	pail
r	⟶	ail	⟶	rail
s	⟶	ail	⟶	sail
t	⟶	ail	⟶	tail
v	⟶	ail	⟶	vail

6 Lis les mots avec le son **ail**.

ail   pa gaille   paille   rail

é pou van tail   é ven tail

caill ou   mé daille   chan dail

7 Lis le texte avec le son **ail**.

Marie a mangé de l'ail,
ce n'est pas bon.

Le wagon est sur les rails.

Julien et Adrien font la bataille.

Ils ont mis la pagaille.

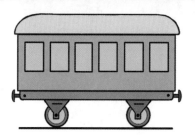

Apprentissage du son (eil) : EIL eil *eil*

1 Cherche dans le dessin les mots où tu entends **eil**.

Les mots à trouver sont : abeille, soleil, réveil, orteil, oreille, bouteille, corbeille, groseille.

2 Prononce **eil** comme dans **soleil**.

3 Suis **eil** avec ton doigt.

Faire suivre eil de la page de droite avec le doigt.

4 À toi de lire.

eil	ail	ien	ain	ein
AIL	EIL	SO	GNE	BOU
eur	*il*	*eil*	*en*	*et*

5 Lis et suis avec ton doigt.

b   ⟶   eil   ⟶   beil

l   ⟶   eil   ⟶   leil

m   ⟶   eil   ⟶   meil

r   ⟶   eil   ⟶   reil

s   ⟶   eil   ⟶   seil

t   ⟶   eil   ⟶   teil

v   ⟶   eil   ⟶   veil

6 Lis les mots avec le son **eil**.

ré veil	so leil	veille
a beille	bou teille	so mmeil
pa reil	con seil	o reille
o r teil	co r beille	é veil

7 Lis le texte avec le son **eil**.

Le soleil s'est levé. Il fait beau.

Une abeille butine une rose.

Le réveil sonne, c'est l'heure
de l'école.

La bouteille est vide.

Apprentissage du son (euil) : EUIL euil *euil*

1 Cherche dans le dessin les mots où tu entends **euil**.

Les mots à trouver sont : feuille, portefeuille, mille-feuille, fauteuil, écureuil, chevreuil.

2 Prononce **euil** comme dans **feuille**.

3 Suis **euil** avec ton doigt.

Faire suivre euil de la page de droite avec le doigt.

4 À toi de lire.

euil	et	ien	se	eau
AIL	TI	EUIL	TE	CU
eil	euil	fau	che	oi

euil

5 Lis et suis avec ton doigt.

d ──────→ euil ──────→ deuil

f ──────→ euil ──────→ feuil

r ──────→ euil ──────→ reuil

s ──────→ euil ──────→ seuil

t ──────→ euil ──────→ teuil

v ──────→ euil ──────→ veuil

6 Lis les mots avec le son **euil**.

fau teuil   é cu reuil   feuille

seuil   che v reuil   bou v reuil

7 Lis les phrases avec le son **euil**.

Papa a déménagé le fauteuil dans le salon.

Adrien a découpé une feuille jaune.

Les feuilles tombent en automne.

Le seuil de la maison est en face de l'école.

Apprentissage du son (oin) : OIN oin *oin*

1 Cherche dans le dessin les mots où tu entends **oin**.

Les mots à trouver sont : coin coin, groin, pingouin, shampoing, point, point d'exclamation, point-virgule, deux-points, point d'interrogation.

2 Prononce **oin** comme dans **coin-coin**.

3 Suis **oin** avec ton doigt.

Faire suivre oin de la page de droite avec le doigt.

4 À toi de lire.

oin   oi   in   ain   ein

EUIL OIN EIL AIL IEN

on   ou   oin   an   in

coin coin

5 Lis et suis avec ton doigt.

c ⟶ oin ⟶ coin

f ⟶ oin ⟶ foin

j ⟶ oin ⟶ join

l ⟶ oin ⟶ loin

m ⟶ oin ⟶ moin

p ⟶ oin ⟶ poin

s ⟶ oin ⟶ soin

6 Lis les mots avec le son **oin**.

loin	coin	foin
moins	point	coin ce
loin tain	poin tu	soin

7 Lis le texte avec le son **oin**.

Simon est puni, il va au coin.

Rémi habite loin de la maison.

La vache mange du foin.

Nicolas a mis un point à la fin d'une phrase.

Apprentissage du son (ier) : IER ier *ier*

1 Cherche dans le dessin les mots où tu entends **ier**.

Les mots à trouver sont : cahier, bélier, collier, tablier, fraisier, panier, poirier, pommier, sanglier.

2 Prononce **ier** comme dans **cahier**.

3 Suis **ier** avec ton doigt.

Faire suivre ier de la page de droite avec le doigt.

4 À toi de lire.

ier   oin   euil   ien   in

IEN   IER   AI   EI   PO

che   *in*   *ier*   *va*   *oi*

ier

5 Lis et suis avec ton doigt.

b	⟶ ier ⟶	bier
c	⟶ ier ⟶	cier
d	⟶ ier ⟶	dier
l	⟶ ier ⟶	lier
m	⟶ ier ⟶	mier
n	⟶ ier ⟶	nier
p	⟶ ier ⟶	pier
r	⟶ ier ⟶	rier
s	⟶ ier ⟶	sier
t	⟶ ier ⟶	tier

6 Lis les mots avec le son **ier**.

ca hier	pa pier	che va lier
pa nier	po mmier	poi rier
ce ri sier	bé lier	co llier
pier re	sa la dier	sen tier

7 Lis le texte avec le son **ier**.

Le chevalier a défendu le château.

Mélanie a fait un chapeau en papier.

Julien range son cahier.

Simon lit sous un pommier.

Apprentissage du son (gn) : GN gn *gn*

1 **Cherche dans le dessin les mots où tu entends gn.**

Les mots à trouver sont : cigogne, agneau, cygne, montagne, oignon, châtaigne, champignon, chignon.

2 **Prononce gn comme dans champignon.**

3 **Suis gn avec ton doigt.**

Faire suivre gn de la page de droite avec le doigt.

4 **À toi de lire.**

gn   gi   an   en   eau

GO   GA   CI   CY   GNE

on   cam   ge   gn   gu

g n

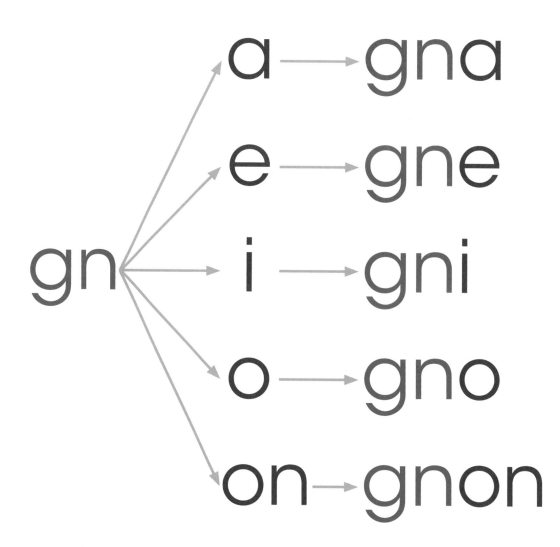

5 Lis et suis avec ton doigt.

a ⟶ gna

e ⟶ gne

gn ⟶ i ⟶ gni

o ⟶ gno

on ⟶ gnon

6 Lis les mots avec le son **gn**.

ga gné   cam pa gne   a gneau

mon ta gne   cham pi gnon

ci go gne   cy gne   pei gne

7 Lis le texte avec le son **gn**.

La montagne est haute.

Des champignons poussent
dans la forêt.

Adrien a gagné une image.

Simon vit à la campagne.

Apprentissage du son (ill) : ILL ill *ill*

1 Cherche dans le dessin les mots où tu entends **ill**.

Les mots à trouver sont : vanille, quille, bille, coquillage, aiguille, chenille, jonquille, papillon.

2 Prononce **ill** comme dans **bille**.

3 Suis **ill** avec ton doigt.

Faire suivre ill de la page de droite avec le doigt.

4 À toi de lire.

ill	eil	ail	ier	il
AIL	ILL	OI	IN	AIN
ein	*ien*	*ill*	*oin*	*ier*

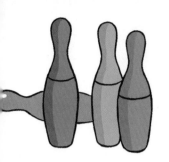

5 Lis et suis avec ton doigt.

b ⟶ ill ⟶ bill

f ⟶ ill ⟶ fill

m ⟶ ill ⟶ mill

n ⟶ ill ⟶ nill

p ⟶ ill ⟶ pill

qu ⟶ ill ⟶ quill

s ⟶ ill ⟶ sill

t ⟶ ill ⟶ till

6 Lis les mots avec le son **ill**.

fille	bille	quille
ha biller	va nille	ju illet
sau tille	billet	che nille
pa pillon	fa mille	sill on

7 Lis les phrases avec le son **ill**.

> Simon et Adrien jouent aux billes.
>
> Marie est une jolie fille.
>
> La famille de Julie vit à Paris.
>
> La chenille devient papillon.

1 Lis les sons suivants.

cra **cra**tère	**cre** **cre**vette	**cri** **cri**	**cro** **cro**chet	**cru** **cru**che
pra **pra**tique	**pre** **pre**mier	**pri** **pri**x	**pro** **pro**chain	**pru** **pru**dent
bra **bra**s	**bre** **bre**bis	**bri** a**bri**	**bro** **bro**che	**bru** **bru**te
dra **dra**p	**dre** ren**dre**	**dri** per**drix**	**dro** **dro**̂le	**dru** **dru**
fra **fra**gile	**fre** gau**fre**	**fri** **fri**ture	**fro** **fro**mage	**fru** **fru**it
gra **gra**s	**gre** **gre**nier	**gri** **gri**lle	**gro** **gro**gnon	**gru** **gru**e
tra **tra**vail	**tre** qua**tre**	**tri** **tri**cote	**tro** **tro**p	**tru** ven**tru**
vra ouv**ra**ge	**vre** ouv**re**	**vri** **vri**lle	**vro** ivro**gne**	**vru** ...

2 Lis les sons suivants.

cla **cla**sse	**cle** ora**cle**	**cli** **cli**mat	**clo** **clo**che	**clu** en**clu**me
fla **fla**que	**fle** trè**fle**	**fli** con**fli**t	**flo** **flo**t	**flu** **flu**x
gla **gla**ce	**gle** ai**gle**	**gli** **gli**sse	**glo** **glo**bule	**glu** **glu**e
pla **pla**ce	**ple** peu**ple**	**pli** **pli**age	**plo** **plo**t	**plu** **plu**me

3 Lis les sons suivants.

ac s**ac**	**ec** b**ec**	**ic** t**ic**-tac	**oc** r**oc**	**uc** s**uc**
al chev**al**	**el** **el**le	**il** **il**	**ol** b**ol**	**ul** rec**ul**

4 Lis les sons suivants.

é **é**té	**er** mang**er** lev**er** boug**er**	**ez** ch**ez** n**ez** ass**ez**	**ed** pi**ed**	**es** l**es** d**es** m**es**

5 Lis les mots suivants.

ti + voyelle = ci

national	**ci**néma
spatial	**ci**re
action	**ci**rque
récréation	**ci**rage

6 Lis les mots suivants.

s entre deux voyelles = z

voisin	gazon
cousin	**z**oo
poison	lézard
vase	**z**èbre

7 Lis les mots suivants.

œu = eu

b**œu**f	**œu**f	s**œu**r	c**œu**r

8 Lis les mots suivants.

x = gs

e**x**ercice	e**x**agéré	e**x**aminé

9 Lis le mot suivant.

w = v

wagon

Achevé d'imprimer en Espagne par Macrolibros
Dépôt légal : janvier 2014 - Édition 13
17/0057/4